D1270200

Натану и Луке посвящается
Р. С.

✳ **Покупайте книги в нашем интернет-магазине:** www.clever-media.ru

📍 **ПРИХОДИТЕ В НАШИ ФИРМЕННЫЕ РОЗНИЧНЫЕ МАГАЗИНЫ**

Наш главный магазин — ТЦ «ЦДМ» на Лубянке,
Москва, Театральный проезд, 5, стр. 1, 3-й этаж

Адреса всех магазинов — на нашем сайте: www.clever-media.ru/shops/

УДК 82-34
ББК 84(4Анг)
Р43

Литературно-художественное издание
Для чтения взрослыми детям

Оформление обложки *Рика Фарли*
Иллюстрации *Роберта Эйбеза*
Перевод с английского *Юлии Фокиной*

Ресник, Жаклин

Р43 Котёнок Шмяк и мышки-братишки / Ж. Ресник. — Москва: Клевер-Медиа-Групп, 2021. — 31, [1] с.: ил. — *(Котёнок Шмяк)*

ISBN 978-5-906899-36-1

Опубликовано по соглашению с «ХарперКоллинз Чилдренс Букс»,
подразделением «ХарперКоллинз Паблишерз»
Оригинальное название: «Splat the Cat: Twice the Mice»
Copyright © 2015 by Rob Scotton
© ООО «Клевер-Медиа-Групп», 2021

Издательство Clever
Генеральный директор
Александр Альперович
Главный редактор *Елена Измайлова*
Арт-директор *Лилу Рами*
Дизайнер *Виктория Ехтарян*
Ведущий редактор *Евгения Попова*
Корректоры *Светлана Липовицкая,*
Наталья Гареева

Доп. тираж 3000 экз.
Формат 70х100/16. Усл. печ. л. 2,6.
Дата изготовления: 11.2020.
Подписано в печать 28.09.2020.

В соответствии с ФЗ № 436 от 29.12.10 маркируется знаком 0+

Изготовитель: SIA «PNB Print» (ООО «ПНБ Принт»). Адрес: Jansili, Silakrogs, Ropazu novads, LV-2133, Latvia. («Янсили», Силакрогс, Ропажский район, ЛВ-2133, Латвия). Заказ № 126010.

Интернет-магазин:
www.clever-media.ru
ⓕ facebook.com/cleverbook.org
Ⓥ vk.com/clever_media_group
ⓘ @cleverbook

Книги — наш хлѣбъ
Наша миссия: «Мы создаём мир идей
для счастья взрослых и детей»

Товар соответствует требованиям
ТР ТС 007/2011 «О безопасности
продукции, предназначенной
для детей и подростков».

Импортёр, уполномоченное
лицо по принятию претензий
к изготовителю от потребителей
по качеству продукции:
ООО «Клевер-Медиа-Групп»
Адрес: 115054, г. Москва,
3-й Монетчиковский переулок, д. 16,
стр. 1, мансардный этаж.
Электронный адрес для контакта:
hello@clever-media.ru

Страна происхождения: Латвия

Я УМЕЮ ЧИТАТЬ!

ДЛЯ ПЕРВОГО ЧТЕНИЯ
Крупный шрифт и простые фразы

КОТЁНОК ШМЯК

И МЫШКИ-БРАТИШКИ

Пончику Серомышу
Пармезановый проспект, 3

История с участием персонажей, придуманных
Робом Скоттоном

Оформление обложки: *Рик Фарли*
Текст: *Жаклин Ресник*
Иллюстрации: *Роберт Эйбез*

CLEVER
•издательство•

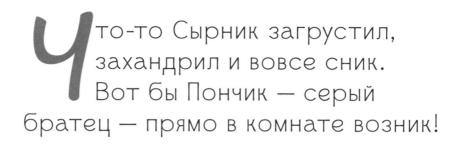

Что-то Сырник загрустил, захандрил и вовсе сник. Вот бы Пончик — серый братец — прямо в комнате возник!

И Сырник написал Пончику письмо.

5

Братец Пончик!

Как твои делишки?
Помнишь, мы играли
в фишки-мышки?
Чтобы порознь не грустить,
приезжай к нам погостить!

Скучаю! Обнимаю!
Твой Сырник

Скоро Сырник получил
толстое письмо с визитной
карточкой — ломтиком сыра.
Ура! Пончик едет в гости!

«Мне и с Сырником вместе пушисто вполне, а прибавится Пончик — буду счастлив вдвойне!» — так думал Шмяк, и хвост у него подрагивал от предвкушения.

Предвкушение — это хорошо, но вот даст ли мама разрешение? Едва усевшись завтракать, Шмяк выпалил:

— Мама, мама! К нам в гости приедет Пончик, братец нашего Сырника! Ты не против?

А мама сказала:
— Конечно, я не против, милый
Шмяк! Но помни: гостя встретить —
не пустяк! Веди себя так, чтобы
Пончик понял: ты мышам не враг.

Шмяк решил: «Нам нужен приветственный знак!»

Шмяк с Сырником нарисовали плакат, и взяли мультфильм напрокат, и купили игру «Фишки-мышки». Хлопотали без передышки!

— Ах, — воскликнул Шмяк. —
До чего же волнительно
ждать гостей! Почти как рыбных
кулебяк!
— Фыр! — ответил Сырник.
А Шмяк добавил:
— Или как маму, которая пошла
за дырчатым сыром!

Ночью Шмяку не спалось.
Вдруг он что-нибудь сделал
не так?

Шмяк вскочил ни свет ни заря
и стал бегать взад-вперёд
по комнате.
«Думай, Шмяк, думай», —
говорил он сам себе.

Вдруг Шмяка осенило:
— Ну конечно! Мышиный портрет!
Не простой — ледяной и к тому же
двойной!

Шмяк очень старался.
Ледяные мышата, хоть и вышли
крупноваты, были ну просто
вылитые Сырник с Пончиком.

Шмяк не выспался, но сиял
от радости. Теперь Пончик
с первого взгляда поймёт:
Шмяк — мышиный друг, а не враг.

После завтрака Шмяк с Сырником уселись на крылечке. Ждут, ждут — а Пончик всё не едет.

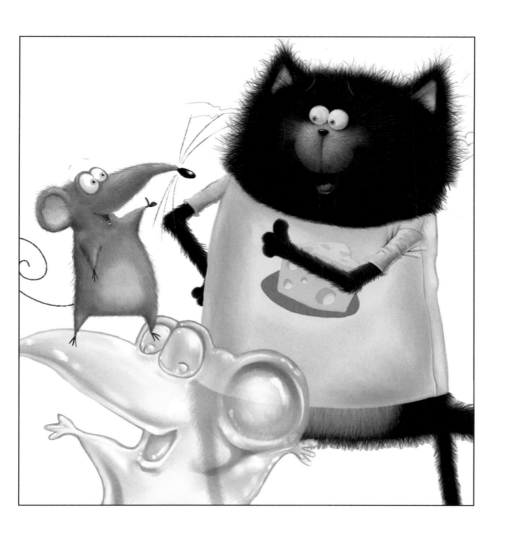

Котёнка и мышонка разморило.
Они крепко заснули.

Вдруг послышался громкий писк:
— Привет, друзья! А вот и я!
Пончик наконец-то приехал!

Сырник бросился к братцу
и давай обниматься.

Шмяк поспешил за ним —
и поскользнулся.
Откуда взялась вода?
Разумеется, изо льда!

— Это же скульптурный
портрет! Двойной, ледяной!
Мой подарок Пончику!
Он почти совсем растаял!

Пончик принялся утешать
котёнка:
— Зато теперь портрет нам
с Сырником по росту!
Ты настоящий скульптор, Шмяк,
да что там — гений просто!
Ты самый лучший в мире кот, вот!
Шмяк улыбнулся:

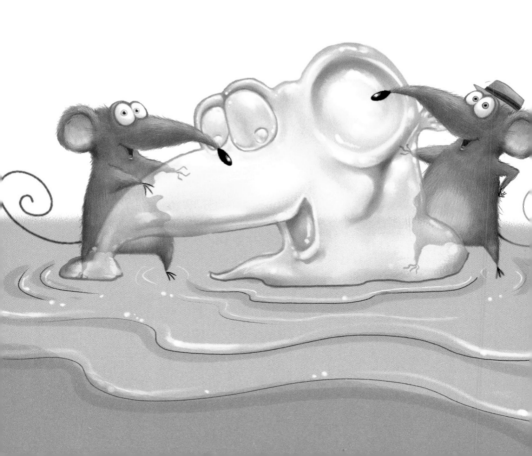

— А я-то чуть совсем не скис!
Но есть ещё один сюрприз!
Итак, встречайте: повар Шмяк
и знаменитый сырный рис!

Пончик щёки набил и надолго
умолк. А потом говорит:
— Вот спасибо! Я ведь
голоден был, будто волк!

Когда от риса под сырной шубой
ничего не осталось, братцы
Пончик и Сырник научили Шмяка
играть в фишки-мышки.

А вечером котёнок и мышата смотрели мультик. Шмяк помахивал хвостом и мурлыкал:
— Один мышонок — это компания, а два мышонка — праздник!

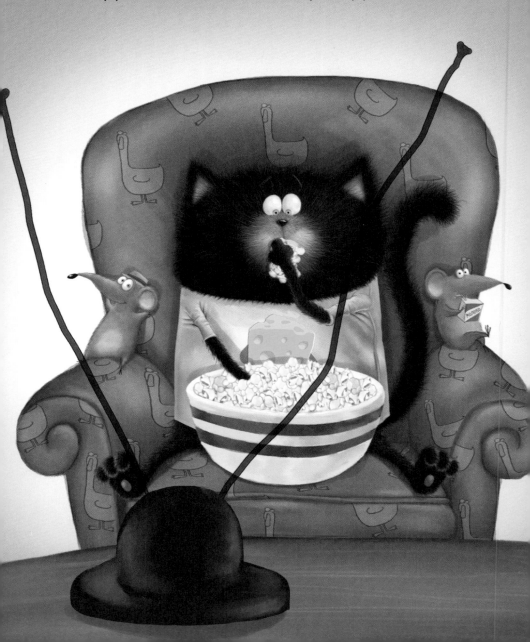